À JACK,
de Huguette
Été 2013

Énigmes de pensée latérale

Paul Slo

L'édition originale de cet ouvrage est parue chez Sterling Publishing Co., Inc sous le titre de *Sit and Solve Lateral Thinking Puzzles*

Publié par les Éditions BRAVO!, une division de
LES PUBLICATIONS MODUS VIVENDI INC.
55, rue Jean-Talon Ouest, 2e étage
Montréal (Québec) H2R 2W8
Canada

Directeur éditorial : Marc Alain
Conception de la couverture : Marc Alain
Traduction et adaptation : Andrée Dufault-Jerbi

Dépôt légal : Bibliothèque et Archives nationales du Québec, 2009
Dépôt légal : Bibliothèque et Archives Canada, 2009

ISBN 978-2-92372-024-1

Imprimé au Canada en mai 2010

TABLE DES MATIÈRES

« Tout est dans la façon de voir les choses. »

Remerciements

Remerciements sincères à tous les collaborateurs qui ont participé aux forums de discussion sur les énigmes de pensée latérale (www.lateralpuzzles.com) ainsi qu'aux personnes suivantes : Craig Humphrey pour *Ici, Fido*, Michael Schnell pour *Question de sécurité*, Tim Dowd pour *Incognito*, Michael Wolf pour *Crue subite*, Robert Grey pour *Dose létale* et Eliza Stewart pour *À vos chapeaux.*

Introduction

Le cerveau est le muscle le plus important du corps humain. Son pouvoir et ses possibilités sont énormes. Aucun ordinateur ne lui arrive à la cheville. Mais la quantité d'exercices qu'il reçoit demeure un mystère. Votre cerveau fonctionne-t-il au meilleur de sa forme, ou est-il au contraire paresseux et fatigué ?

La bonne nouvelle est qu'il est possible d'exercer votre cerveau, peu importe l'heure ou l'endroit. Lors de votre prochaine pause, mettez votre cerveau au défi au lieu de carburer au ralenti et de fermer les yeux. Réfléchir à des solutions plausibles exigera un travail de méninges rigoureux. Une mise en garde s'impose cependant : certaines énigmes demandent un peu d'entraînement avant que l'on puisse parvenir à les résoudre. Alors, il n'en tient qu'à vous de vous mettre au travail et de retrouver la forme !

1
Énigmes faciles
Pour se réchauffer l'esprit

Trompe-l'œil

Les fils d'une femme ont tous les yeux bleus sauf deux d'entre eux, les yeux bruns sauf deux d'entre eux, et les yeux gris sauf deux d'entre eux. Combien de fils a-t-elle ?

Sur ses jambes

Qu'est-ce qui a six jambes, mais ne marche que sur quatre ?

Qui est là ?

J'ai une bouche, mais je ne parle pas;
J'ai quatre yeux qui ne voient pas;
J'ai un lit, mais je ne dors pas.
Qui suis-je, dites-moi ?

Solutions page 62.

En l'an...

Au cours des 200 dernières années, en quelle année les chiffres de celles-ci étaient-ils lisibles à l'endroit comme à l'envers ?

La famille Tremblay

M. et Mme Tremblay voyagent en compagnie de leurs trois fils. Chaque fils est accompagné de sa femme, de sa sœur et de son propre fils. Combien de personnes font partie de ce voyage ?

Cryptogramme

Réarranger les lettres suivantes pour former un seul mot :
L U N O M T U E S

Deux fois g

Connaissez-vous deux onomatopées qui contiennent deux fois la lettre g ?

Solutions page 62.

Coup sûr

Deux grands maîtres internationaux du jeu d'échecs vous proposent de les affronter simultanément. Vous ne connaissez pas les règles du jeu, mais vous savez que le vainqueur d'une partie obtient deux points, et qu'un match nul lui en donne un. Êtes-vous capable de réfléchir à un plan qui vous permettrait de récolter au moins deux points ?

Fruits en boîte

Trois boîtes de fruits entièrement scellées se trouvent devant vous. La première contient uniquement des oranges, la seconde, uniquement des citrons, et la troisième, un mélange d'oranges et de citrons. Les étiquettes qui auraient dû identifier le contenu de chaque boîte ne sont pas les bonnes. Si l'on vous permet de prendre un seul fruit d'une seule boîte, comment ferez-vous pour déterminer quelle boîte contient quels fruits ?

Raccourci ?

Il faut mettre 3 jours pour parcourir la distance entre A et B, mais cela en prend 4 pour parcourir la distance entre B et A. Pourquoi ?

Solutions pages 63 et 64.

Numérotation !

Un peintre est chargé de numéroter de 1 à 100 toutes les maisons qui font partie d'un nouveau domaine. Combien de fois devra-t-il peindre le chiffre 9 pour faire son travail ?

Il y a toujours une première fois

Cela s'est produit le deuxième jour de février, au cours d'une seule année durant le 20e siècle. Cela ne s'était pas produit depuis 1 000 ans, mais, aujourd'hui, c'est chose courante. De quoi s'agit-il ?

Code secret

Que signifie : 1 lettre CPAR BB de PP mais SAJIL DB ou DP ?

Que signifie :
Si la E MR est AC KLM C KIL FÉ BO
Si la E MR est AJT C KIL FÉ FROUA

Solutions page 64.

2
Énigmes devinettes
Ou l'a b c de l'évidence

Avertissement : les questions suivantes vous tendent des pièges. Aucun recueil d'énigmes de pensée latérale qui se respecte ne saurait les mettre de côté !

1. Qu'est-ce qu'on obtient en croisant un ruisseau et un torrent ?

2. Si l'on doit rédiger une lettre importante, est-ce préférable de l'écrire sur un estomac vide ou sur un estomac plein ?

3. Si les humains ont reçu deux mains, et les singes en ont reçu quatre, qu'est-ce qui en a reçu seulement trois ?

4. Qu'est-ce que les rennes ont que les autres animaux n'ont pas ?

5. Pouvez-vous épeler « eau dure » en n'utilisant que cinq lettres ?

6. Comment appelle-t-on le beurre de chèvre ?

7. Quel genre de livre un écrivain ne termine-t-il jamais ?

8. Qu'est-ce qui se tient debout tout en s'appuyant sur sa face ?

9. Qu'est-ce qui a huit roues, mais qui ne transporte qu'un seul passager à la fois ?

10. Comment les Écossais appellent-ils un petit chat blanc ?

11. Sous quel type d'arbre un chat s'abrite-t-il lorsqu'il pleut ?

12. Où les blaireaux passent-ils l'hiver ?

13. Qu'est-ce qui devient sale au fil des lessives ?

Solutions page 65.

3
Chapeau, la science
Ou science excellence

Un vrai météorite ?

La Lune se trouve à environ 380 000 kilomètres de la Terre. Si un gros météorite s'écrasait sur elle, combien de temps le bruit de l'explosion mettrait-il à atteindre la Terre ?

Flottaison

Si vous mettez un bouchon de liège dans un verre d'eau, il flottera contre l'une des parois. Comment pouvez-vous arriver à faire flotter le bouchon en plein centre du verre ? (Note : le verre doit reposer sur une surface plane. Faire tourbillonner le verre d'eau n'est pas la bonne réponse.)

Solutions page 66.

S – eau

Un homme tient un seau rempli d'eau. Il vire celui-ci à l'envers, mais l'eau reste à l'intérieur du seau. Pourquoi ? (Note : le seau n'a pas de couvercle, l'eau n'est pas gelée, l'homme ne se trouve pas dans une capsule spatiale, et il ne s'amuse pas à tourner sur lui-même avec le seau pour activer la force centrifuge qui maintiendrait l'eau dans celui-ci.)

Pot-pourri ?

Une femme met la main sur un pot qui contient un mélange de sable, de sel, de bran de scie et de limaille. Que peut-elle faire pour séparer les substances l'une de l'autre ?

Passage à vide

Qu'est-ce qui peut traverser l'eau sans se mouiller ?

Solutions pages 66 et 67.

Ballonner

Il y a un ballon gonflé à l'hélium (plus léger que l'air) dans votre voiture, et les vitres sont toutes fermées. Si vous tournez un coin, dans quel sens le ballon se déplacera-t-il ?

Le trou de l'histoire

Vous chauffez un anneau de métal pour qu'il se dilate. Le trou au centre de l'anneau grossira-t-il, rétrécira-t-il ou restera-t-il de la même dimension ?

À la hausse ou à la baisse

Un chaland se trouve dans une écluse. Le propriétaire du chaland jette une ancre en fer pardessus bord, et celle-ci s'enfonce dans l'eau. Comment le niveau d'eau réagira-t-il : à la hausse, à la baisse ou demeurera-t-il inchangé ?

Solutions page 67.

Tire-bouchon

Le bouchon de verre de votre carafon en verre ancien est profondément enfoncé dans le goulot de ce dernier. Vous avez bien essayé de le décoller à l'eau chaude, mais en vain. Que pouvez-vous faire d'autre pour dégager le bouchon ?

Tout est dans l'œuf

Combien de cellules un jaune d'œuf renferme-t-il environ ?

Orbites rapprochées

La planète le plus près du Soleil est Mercure, suivie de Vénus, la Terre, Mars, Jupiter, Saturne, Uranus, Neptune et Pluton. Neptune et Pluton sont les planètes les plus éloignées du Soleil. Selon vous, quelle planète est la plus rapprochée de Pluton en moyenne ?

Solutions page 68.

4
Faits insolites
Qu'est-ce qui se passe ?

Travail express

Des policiers reçoivent un appel les convoquant sur la scène d'un meurtre. Ils arrêtent immédiatement la personne ayant lancé l'appel en arrivant sur les lieux. Pourquoi ?

L'arme a disparu

Une femme assassine son époux, puis elle reste à la maison. Les policiers se présentent chez elle deux heures plus tard, et ne parviennent pas à mettre la main sur l'arme du crime. Pourquoi ?

Et la lumière fut

Pendant la Seconde Guerre mondiale, pourquoi les alliés ont-ils bombardé un petit village polonais qui ne présentait aucun intérêt sur les plans stratégique et militaire ?

Solutions page 69.

Rabat-joie

Une adresse est inscrite sur une enveloppe, de façon à ce que le rabat encollé se trouve plus près de la main gauche que de la main droite du destinataire. À cause de cela, un homme meurt. Qu'est-ce qui s'est passé ?

W.C.

Winston Churchill, l'ancien premier ministre de l'Angleterre et homme d'État britannique, s'est déjà retrouvé dans les toilettes publiques pour dames lors d'une soirée importante. Il ne fut nullement embarrassé par la situation. Et pourquoi donc ?

Bingo

Un homme entend une femme prononcer un chiffre à voix haute en anglais, puis il meurt sur le coup. Quel était ce chiffre ?

Solutions pages 70 et 71.

Au naturel ?

Quelques centaines d'ouvrières travaillent dans une petite usine de confiseries non climatisée par une chaude journée d'été. Comment font-elles pour se tenir au frais ?

Et surtout, ne reviens pas !

Une femme téléphone à la gare centrale pour s'enquérir du tarif vers un certain endroit. Comment l'employé a-t-il su sur-le-champ que la dame désirait savoir combien coûtait un aller simple plutôt qu'un aller-retour ?

Problème d'ordre alimentaire

Un homme est accusé d'être entré dans une épicerie, d'avoir ouvert un emballage qui se trouvait sur une tablette, et d'avoir mangé une partie du contenu, puis d'être ressorti du magasin sans payer quoi que ce soit. Comment a-t-il plaidé pour se défendre ?

Solutions page 71.

À brûle-pourpoint

Un homme achète un tapis dispendieux, et le brûle aussitôt. Pourquoi ?

Loterie express

Un homme passe tout son temps à essayer de trouver les chiffres qui lui permettront d'être plus rapide et plus efficace. Que fait-il comme boulot ?

Tentative

Un explorateur se trouve sous une tente, mais celle-ci ne lui offre aucune protection contre le temps qu'il fait. Mais s'il quitte la tente, il va mourir. Pourquoi ?

Ouille !

Quelle créature vivante est parfois mille fois plus précieuse lorsqu'elle est blessée plutôt qu'en pleine forme ?

Solutions pages 71 et 72.

5
Vision périphérique
Mieux vaut regarder par deux fois

Changement rapide

Déplacez le moins de balles possible pour que le triangle ci-contre pointe vers le bas :

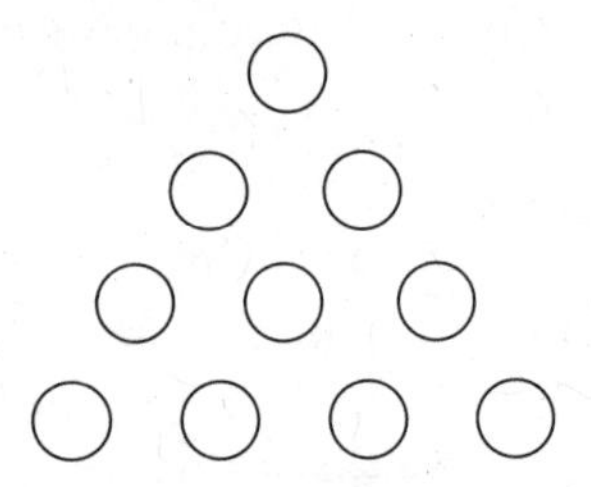

Cas de figure

Comment pouvez-vous diviser la figure ci-dessous en quatre parties de grandeur égale et de forme identique ?

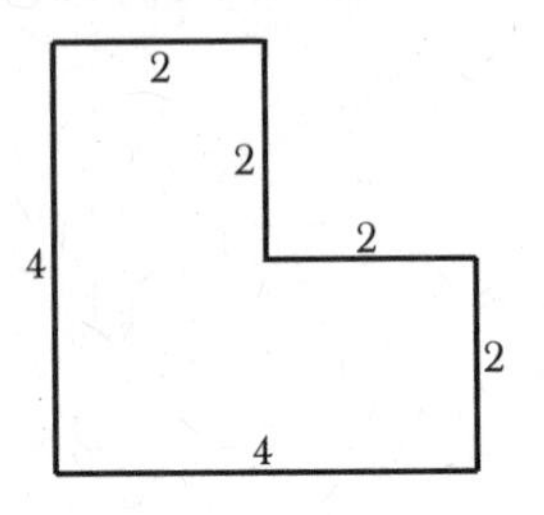

Solutions page 73.

Jeu d'allumettes

À l'aide de six allumettes, êtes-vous capable de former quatre triangles équilatéraux ?

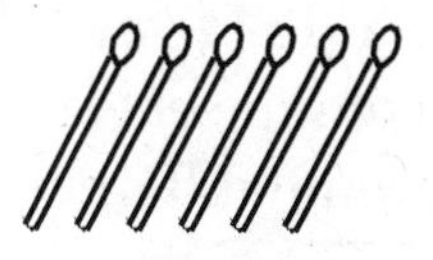

2 sur 2

On a retiré deux carrés adjacents de 1 sur 1 d'un carré de 7 sur 7. La figure peut-elle être répartie en tuiles de 2 sur 1 ?

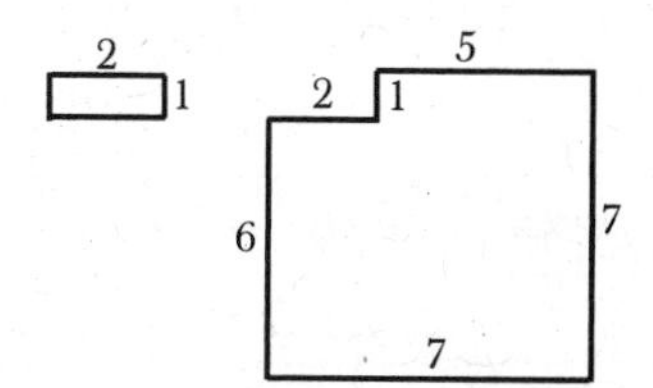

On a retiré deux carrés de 1 sur 1 des coins opposés d'un carré de 6 sur 6. La figure peut-elle être répartie en tuiles de 2 sur 1 ?

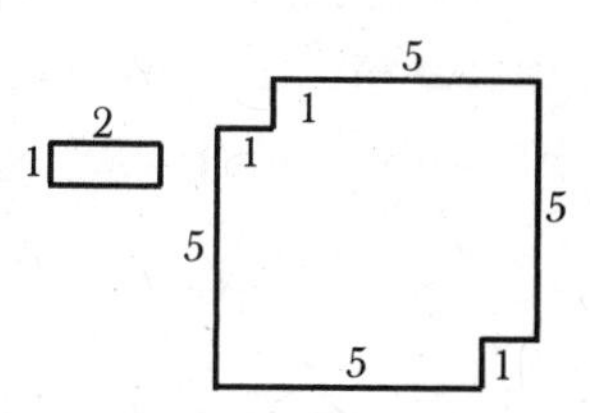

Solutions pages 73 et 74.

Charger les cases

Insérez l'un des chiffres 1, 2, 3, 4, 5, 6, 7, 8 et 9 dans chaque case de façon à ce que chaque rangée, chaque colonne et les deux diagonales totalisent une somme différente.

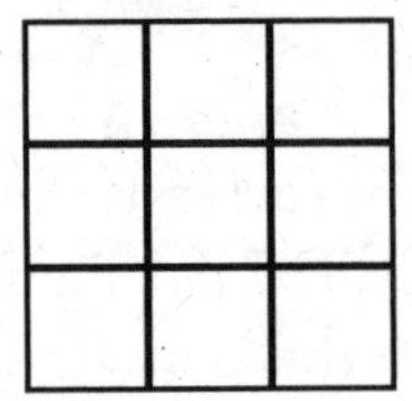

Insérez l'un des chiffres 1, 2, 3, 4 dans chaque case de façon à ce que chaque rangée, chaque colonne et les deux diagonales totalisent une somme différente.

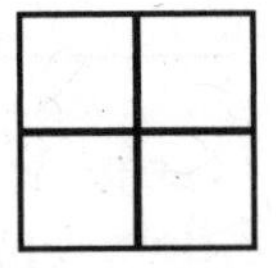

Tout est dans la queue !

Faites regarder le chien vers la droite plutôt que vers la gauche en ne déplaçant que deux allumettes. Attention ! Sa queue doit rester en l'air !

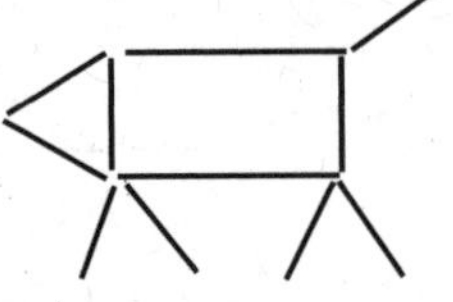

Solutions page 74.

Point à la ligne !

En partant de n'importe lequel des neuf points que contient la figure, dessinez quatre lignes droites en passant par tous les points sans lever le crayon.

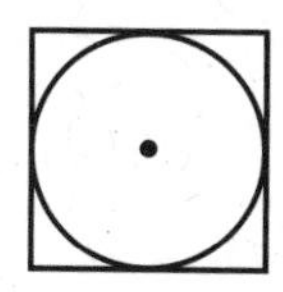

Comment pouvez-vous dessiner ce cercle et le point en plein centre sans lever le crayon, une fois que vous avez commencé à dessiner ?

Liquéfié ?

Une bouteille est partiellement remplie de liquide, comme illustré ci-dessous. Comment pouvez-vous estimer correctement le volume de la bouteille si vous n'avez qu'une règle à mesurer à votre disposition ?

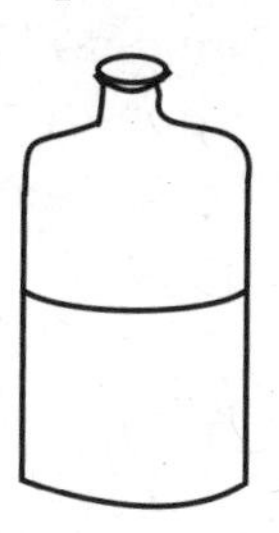

Solutions page 75.

À vos marques !

Comment pouvez-vous disposer deux allumettes contre la face d'une horloge pour que celle-ci soit répartie en trois et que la somme des chiffres isolés dans chacune des trois sections soit la même ?

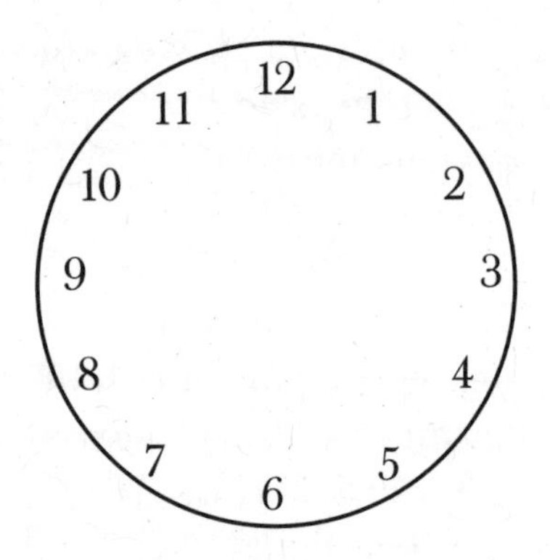

Les crayons de l'amitié

Comment pouvez-vous disposer six crayons pour que chacun d'eux touche chacun des cinq autres crayons ?

Solutions page 76.

6
Énigmes devinettes en rappel

1. Comment pouvez-vous former un chiffre pair entier en utilisant que deux zéros ?

2. Quelle sorte de chiffre retrouve-t-on invariablement au milieu du répertoire téléphonique ?

3. Charlie emmène sa copine au restaurant. Le plat le moins cher inscrit au menu portait le nom de SOUFE, alors Charlie en a commandé pour deux. Qu'est-ce qu'on leur a servi ?

4. Un garçon trouve un bout de papier sur lequel est écrit 819 ON. Qu'est-ce que ça peut vouloir dire ?

5. Une femme a cinq enfants. La moitié d'entre eux sont des garçons. Comment cela est-il possible ?

Solutions page 77.

6. Quelle caractéristique partagent les chiffres 2, 5, 7, 9 et 100 que tout autre chiffre entier ne possède pas ?

7. Qu'est-ce qui est ouvert lorsque fermé, et fermé lorsque ouvert ?

8. Où peut-on trouver un triangle ayant trois angles droits ?

9. Quelle est la chose que même l'homme le plus fort du monde ne peut retenir plus que quelques minutes ?

10. Deux explorateurs se sont perdus au milieu du désert. Ils ont chacun une boussole; l'un d'eux part vers l'est, et l'autre, vers l'ouest. Ils se croisent deux heures plus tard. Comment ont-ils fait ?

11. Si cela prend deux secondes pour qu'une horloge sonne deux coups à 14 h, combien de temps mettra-t-elle à sonner les quatre coups annonçant 16 h ?

Solutions page 78.

12. Guillaume croit qu'il réussira à demeurer sous l'eau pendant dix minutes sans avoir recours à un équipement pour respirer. Comment fait-il ?

13. Tom en a trois, Didier en a trois, et Harry en a trois aussi. Combien en ont-ils en tout ?

14. Votre tiroir contient des chaussettes noires, des bleues, des vertes et des grises. Il y a deux fois plus de chaussettes noires que de bleues, et trois fois plus que de vertes. Il y a deux fois plus de chaussettes grises que de vertes. Si vous devez prendre vos chaussettes dans le noir, combien de chaussettes devrez-vous sortir du tiroir pour vous assurer d'obtenir deux chaussettes de la même couleur ?

15. Tom est né en 1961, l'année la plus récente à se lire de la même façon à l'endroit ou à l'envers. Quel âge aura Tom lorsque cela se produira à nouveau ?

Solutions page 78.

7
Énigmes et indices
Pour découvrir la piste

Ce genre d'énigmes se résout habituellement en groupe : la personne qui connaît la réponse se contente de répondre aux questions par « oui » ou par « non », jusqu'à ce que la solution transparaisse au fil des déductions. Comme cette interactivité est peu probable dans notre contexte, les indices qui figurent à la page 58 vous inciteront à réfléchir en mode de pensée latérale pour déduire la réponse que nous avons anticipée.

Phobie du verre ?

Pourquoi une femme a-t-elle brisé toutes les ampoules électriques dans sa maison ?

Indices page 58.
Solution page 79.

Homme de fer-blanc ?

Un homme plonge sa main dans une casserole remplie d'eau en train de bouillir sans se brûler. Pourquoi ?

Bouton pendu

Un bouton pend au bout d'une ficelle à l'intérieur d'une bouteille. Il est suspendu à un bouchon de liège, et la ficelle descend jusqu'à la mi-bouteille. Comment une personne parviendrait-elle à faire tomber le bouton au fond de la bouteille sans tirer ou sans pousser le bouchon, et sans briser la bouteille ?

Usage réversible

Une femme s'est procuré une pièce d'équipement dispendieuse qu'elle utilise avec beaucoup de succès, mais pour un usage diamétralement opposé à celui auquel la pièce est normalement destinée. Quelle est cette pièce ?

Indices page 58.
Solutions pages 79 et 80.

Porte-nouvelles

La direction d'une entreprise commerciale a acheté des douzaines de valises qu'elle a remplies de journaux enroulés, pour ne jamais plus les ouvrir à nouveau. Pourquoi ?

Virage vert

Pourquoi un homme demande-t-il à son voisin malcommode s'il peut emprunter sa tondeuse à gazon alors qu'il n'a nullement l'intention de tailler sa pelouse ?

Non, merci !

Un homme se procure un objet de grande valeur. À chaque fois qu'il sort, il donne cet objet à de purs étrangers, qui lui rendent l'objet à chaque fois. Quel est cet objet ?

Indices page 59.
Solutions pages 80 et 81.

Prêt à tout

Une femme vêtue d'une veste blanche se dirige vers un endroit précis. L'une des poches de la veste contient un bijou, un instrument pour écrire et une matière combustible. Où va-t-elle ?

Ici, Fido

Un homme qui séjourne chez un ami fait un appel téléphonique. Puis, il se met à parcourir fiévreusement la maison à la recherche du chien de celui-ci. Pourquoi ?

Méga vente ?

Une femme achète un objet que son mari utilise tous les jours à la maison ou pendant les vacances, mais jamais lorsqu'il est en voyage d'affaires. Quel est cet objet ?

Indices pages 59 et 60.
Solutions pages 81 et 82.

Trompe-l'œil

Tous les gens s'appelaient par leur prénom jusqu'à ce que l'un d'eux reçoive subitement quelque chose dans l'œil. Qu'est-il arrivé... et quand ?

Question de sécurité

Des parents soucieux de la sécurité de leur enfant sortent acheter quatre verres et une bouteille de vodka. Pourquoi ?

Incognito

Un homme décide de se débarrasser de quelque chose qu'il a depuis longtemps. C'est là qu'il découvre quelque chose dont il n'avait pas soupçonné l'existence. Il n'aime pas du tout ce qu'il découvre ! De quoi s'agit-il ?

Indices pages 60 et 61.
Solutions pages 82 et 83.

Crue subite

Un homme est pris par surprise par une crue subite, sans quoi il aurait découvert l'identité du meurtrier. Qu'est-il arrivé ?

Presse-papier

Un homme retire de l'argent d'un guichet automatique, et insère les billets dans l'une de ses chaussures par mesure de sécurité. Mais certaines personnes le voient faire, le suivent, et s'en prennent à lui. Mais elles ne prennent pas l'argent. Quel est le fond de l'histoire ?

Voyage éclair

Les voyages en voiture sont toujours plus longs par mauvais temps que par beau temps. Mais, dans certains endroits et selon les circonstances, les voyages peuvent être beaucoup plus courts par mauvais temps. Comment cela ?

Indices page 61.
Solutions pages 83 et 84.

8
À moi les maths ! Le compte y est

Allumettes

Rectifiez l'équation suivante en ne déplaçant qu'une seule allumette :

VI = II

Procédez différemment, toujours en ne déplaçant qu'une seule allumette, pour rectifier l'équation :

VI = II

Déplacez maintenant une seule allumette pour rectifier l'équation suivante :

II = XXIII / VIII

Solutions page 85.

D'un seul trait

Rectifiez les équations suivantes en ajoutant un seul trait de crayon :

$$4+4+4+44 = 492$$
$$10\ 10\ 10 = 9{,}50$$

Match nouveau genre

Quarante-sept personnes participent à un tournoi de tennis éliminatoire. Combien de matchs devront être joués pour déterminer le vainqueur ?

Numériseur

Formez deux nombres entiers dont l'un est le double de l'autre en utilisant chacun des chiffres 1, 2, 3, 4, 5, 6, 7, 8 et 9 que une seule fois (par exemple : 23 et 46, bien que ces deux nombres ne soient pas la réponse).

Solutions page 85.

Et patati ! Et patatable !

Un fermier vend dix tonnes de pommes de terre chaque année, et fait pousser ses plants en prévision de la récolte de l'année suivante. Si la récolte produit exactement vingt fois ce qu'il sème, combien de plants doit-il semer pour s'assurer que ses récoltes soient perpétuelles ?

Stratégie gagnante

A et B jouent la partie suivante : A choisit un nombre entier entre 1 et 10 (1, 2, 3, etc.). Ensuite, B ajoute un nombre entier de son choix entre 1 et 10 au chiffre sélectionné par A. Chacun joue son tour de cette façon jusqu'à ce que l'un des deux atteigne le chiffre 100 et gagne. Établissez votre stratégie gagnante, puis faites-en l'expérience en jouant avec des amis ou des membres de votre famille.

Poignée 1, poignée 2...

Le nombre de personnes sur la terre à avoir serré la main à un nombre impair de personnes est-il pair ou impair ?

Solutions pages 86 et 87.

Question de robinets

Il faut 3 minutes pour remplir une baignoire lorsque les robinets sont tout grands ouverts et que le drain est fermé. La baignoire se vide en 5 minutes lorsque les robinets sont fermés et que le drain est ouvert. Combien de temps cela prendra-t-il pour remplir une baignoire en gardant les robinets et le drain tout grands ouverts ?

Fléchettes et math

Chacune des fléchettes permet de marquer 16, 17, 23, 24, 39 ou 40 points lors d'un match. Combien de fléchettes faut-il lancer pour accumuler exactement 100 points ?

Figure 8

Combien d'équations, dans lesquelles le chiffre 8 est utilisé exactement huit fois (mais aucun autre chiffre), permettent d'obtenir le chiffre 1 000 à l'aide des opérations arithmétiques habituelles ?

Solutions pages 87 et 88.

9
Énigmes visuelles
Pour exercer les yeux

Petit futé

Le numéro de téléphone d'un jeune garçon est le 741-5963. Il arrive à se le rappeler en ne songeant qu'à une seule lettre. Laquelle ?

Rapport d'angle

Le triangle extérieur et le triangle intérieur sont tous les deux des triangles équilatéraux. Le cercle touche aux trois côtés du triangle extérieur. Sachant que l'aire du triangle intérieur est de 10 centimètres carrés, quelle est l'aire du triangle extérieur ?

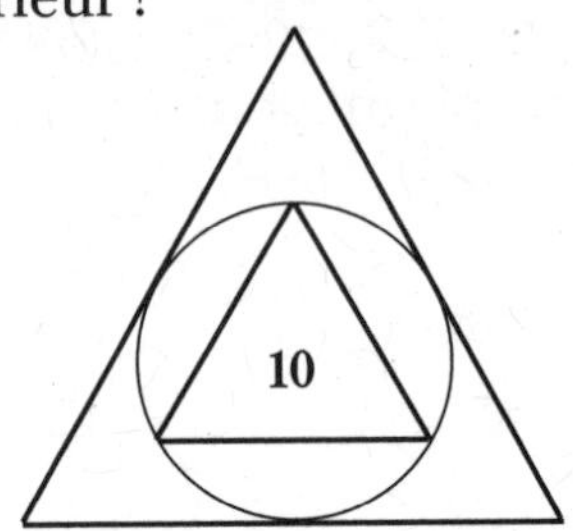

Solutions page 89.

Bêêê

Un fermier dispose 13 panneaux de clôture de grandeur égale, de façon à former 6 enclos à moutons de dimension et de forme identiques comme l'illustre la figure ci-dessous. L'un des panneaux se fait voler. Comment le fermier peut-il maintenant disposer les 12 panneaux qu'il lui reste pour former 6 nouveaux enclos de dimension et de forme identiques ?

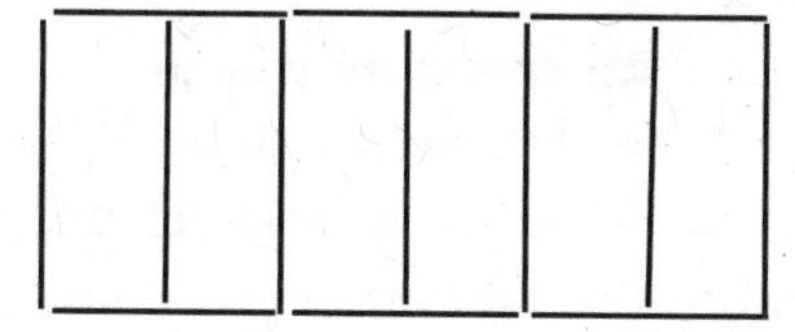

Place P

Un ingénieur désire construire une cabane à pompe (P) près d'une rivière afin d'en pomper l'eau pour alimenter les villes A et B. À quel endroit doit-il placer la pompe pour que le pipeline AP + BP soit aussi court que possible ?

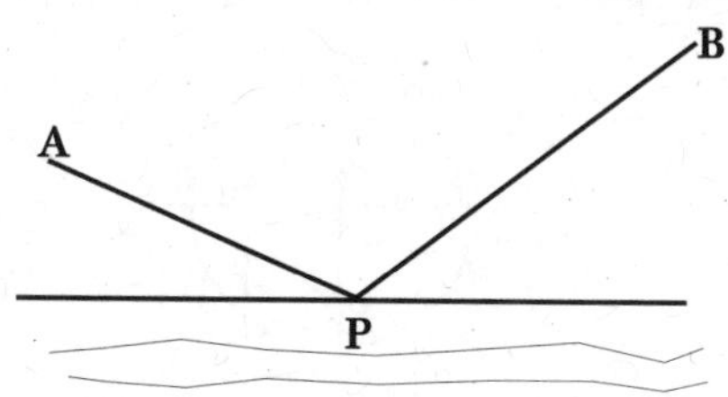

Solutions page 90.

Converger

Un fermier doit planter 7 pommiers sur 6 rangées qui devront contenir exactement 3 arbres chacune. Comment s'y prendra-t-il ?

Au rayon du cercle

La longueur de la tangente entre le grand et le petit cercle de la figure ci-dessous mesure 5 cm. Combien mesure l'aire du cercle (annulus) ?

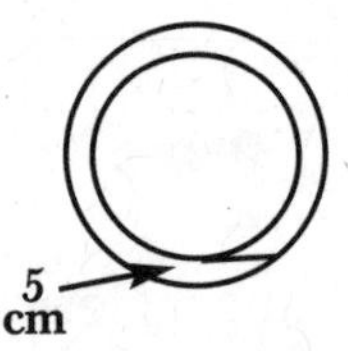

L'AX est la question

Dans la figure ci-dessous : OA = 4 et AB = 3, quelle est la longueur du segment AX ?

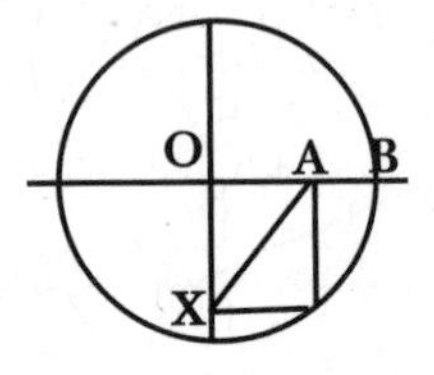

Solutions pages 90 et 91.

Tour du chapeau

A, B, C, et D portent chacun un chapeau. Chacun sait que les chapeaux sont noirs ou blancs et qu'ils ne sont pas tous de la même couleur, mais chacun ignore la couleur de son propre chapeau. A ne voit aucun chapeau, B voit le chapeau de A, C voit les chapeaux de A et de B, et D voit les chapeaux de A, B et C. Lequel des quatre déclare subitement qu'il connaît la couleur de son chapeau ?

Missouri ?

Comment ferez-vous pour mesurer la largeur d'une rivière que vous ne pouvez traverser en vous fiant à un jalon rudimentaire ?

Solutions pages 91 et 92.

Arts visuels

Voici une perspective frontale et une perspective aérienne du même objet. À quoi cela ressemble ?

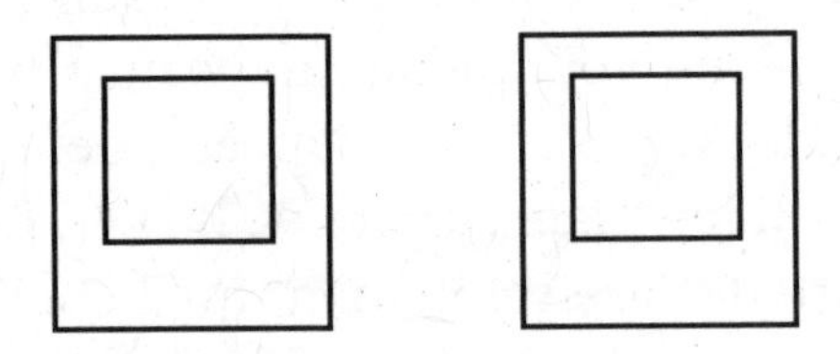

Cours d'arts

Deux compas peuvent être utilisés pour dessiner un cercle parfait. Comment ces deux compas peuvent-ils être utilisés pour dessiner une ellipse parfaite en gardant les compas dans la même position, et sans changer le rayon en dessinant ?

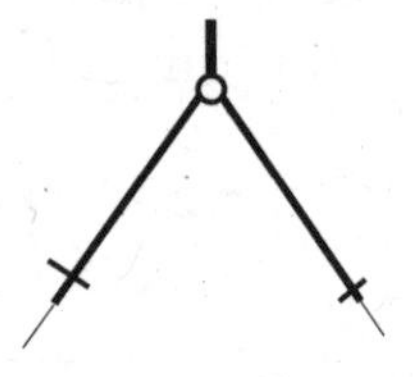

Solutions page 93.

10
Énigmes farfelues
Vues de biais

Triple jeu !

Combien de lettres la bonne réponse à cette question contient-elle (première solution) ? Combien de lettres la bonne réponse à cette question contient-elle (deuxième solution) ? Combien de lettres la bonne réponse à cette question contient-elle (troisième solution) ?

Port payé

Un homme habitant aux États-Unis qui a deux passe-temps favoris s'assure, avec le plus grand soin, d'envoyer une lettre à une adresse qu'il sait être fictive. Pourquoi ?

Solutions page 94.

Il y a des limites !

Un homme désire poster une canne à pêche de 4,25 mètres, mais les règlements du service postal limitent la longueur des colis à 4 mètres. La canne à pêche est montée en une pièce, et ne peut être raccourcie. Qu'a fait l'homme pour envoyer son colis ?

InDÉFini

Le mot « inDÉFini » contient trois lettres consécutives de l'alphabet. Pouvez-vous nommer un mot qui contient les 3 lettres consécutives NOP ?

Partie de poker

Un garçon et une fille jouent une partie de poker. La fille a une quinte flush royale, et le garçon, quatre as. Qui remporte la main ?

Solutions pages 94 et 95.

Saute-boutons

Vous avez 9 boutons et 4 tasses. Comment pouvez-vous déposer un nombre impair de boutons dans chacune des tasses en utilisant tous les boutons et toutes les tasses ?

Tout compte fait...

De quoi pouvez-vous retirer le tout, et qu'il vous reste quelque chose ?

Comme c'est bizarre !

Comment pouvez-vous faire flotter un œuf cru à mi-chemin dans un verre rempli d'eau ?

Ni plus ni moins

Qu'est-ce qui est remarquable dans l'équation :

un plus douze = deux plus onze
($1 + 12 = 2 + 11$) ?

Solutions pages 95 et 96.

À chances égales

Deux personnes savent qu'une pièce de monnaie est défectueuse. En la lançant pour jouer à pile ou face, elle retombe plus fréquemment sur face que sur pile. Comment ces deux personnes peuvent-elles miser avec la pièce de monnaie, et que les chances de l'emporter soient égales de part et d'autre ?

Coude à coude

Comment faire pour disposer 5 pièces rondes de sorte que chacune des pièces touche les quatre autres ?

Mouton noir ?

Tous les membres de la famille de Charles sont des citoyens américains ayant toujours voté pour le parti politique républicain. Lors du dernier scrutin, Charles a voté pour les républicains, mais pas son oncle. Pourquoi ?

Solutions page 96.

11
Exercices de logique
En pensée latérale

Sous-entendu

Quel est le plus petit nombre entier positif à contenir une pièce de monnaie lorsqu'on l'écrit en toutes lettres ?

Damer le pion

Quatre pions d'un jeu de dames sont alignés de la façon suivante : BB_NN. Arrivez-vous à intervertir l'ordre des pions à NN_BB en observant les règles suivantes ? Un pion peut être déplacé latéralement sur une case voisine vide, ou survoler un pion adverse pour atterrir sur une case vide. Les pions blancs (B) ne peuvent être déplacés que vers la droite, et les pions noirs (N), uniquement vers la gauche.

Solutions page 97.

Cube par cube

Six coupes planes sont nécessaires pour tailler un cube en 27 plus petits cubes identiques. Est-il possible d'obtenir le même résultat en réduisant le nombre de coupes et en réorganisant les pièces après chacune des coupes ?

Révéler son âge

Une femme est âgée de moins de 100 ans. En divisant son âge par 7, le reste est égal à 2; en divisant son âge par 5, le reste est égal à 4; en divisant son âge par trois, le reste est égal à 2. Quel âge a-t-elle ?

Le temps d'un arrêt

Un saint homme entreprend d'escalader une montagne à l'heure du midi, un mardi. Il n'y a que un seul sentier. Il atteint le sommet à minuit. Il prie, jeûne, et s'endort ensuite jusqu'à l'heure du midi du mercredi. Il entreprend alors de redescendre très lentement et très prudemment en empruntant le même sentier, pour arriver au bas de la montagne à minuit. Pouvez-vous démontrer qu'en escaladant et en descendant la montagne, à un moment précis, l'homme s'est retrouvé au même endroit ?

Solutions pages 97 et 98.

Emballons-nous

Pour promouvoir son nouveau produit, la barre chocolatée CHOCKOBLOCK, une entreprise donne une barre gratuite à chaque tranche de 10 emballages qu'un enfant remet au commerçant. À quelle fraction d'une barre CHOCKOBLOCK équivaut un emballage ?

Faux billet

Un homme voit une paire de bottes dans la vitrine d'un magasin de chaussures au prix de 30 $. Il entre les acheter, et veut payer avec un billet de 50 $. Mais le commerçant, qui n'a pas assez d'argent pour lui rendre sa monnaie, se rend chez le marchand voisin pour échanger le billet de 50 $ contre cinq coupures de 10 $. Il remet 20 $ au client, qui prend les bottes, et part. Quelques instants plus tard, le marchand voisin accourt en criant que le billet de 50 $ que lui a remis le marchand de chaussures est un faux; ce dernier se voit contraint de lui remettre un billet de 50 $ neuf. Combien toute cette histoire a-t-elle coûté au marchand de chaussures, si l'on tient pour acquis que les bottes coûtaient 30 $?

Solutions pages 98 et 99.

Dose létale

Il était une fois un roi qui vivait dans un royaume dans lequel l'effet des poisons était tout autre que celui que l'on connaît. Dans ce royaume, la seule façon de neutraliser les effets d'un poison était d'en avaler un autre plus puissant par la suite. Ainsi, le poison plus puissant neutralisait les effets du plus faible; mais, si par mégarde un poison moins puissant devait succéder au premier, les forces néfastes des deux poisons agissaient de concert, et libéraient une puissance létale.

Voulant décimer les empoisonneurs du royaume, le roi organisa un concours qui permettrait d'identifier l'empoisonneur le plus rusé de la contrée. Ce n'est qu'après la réception des candidatures que les règles du concours furent expliquées. À chaque étape du concours, les alchimistes seraient regroupés deux par deux, et chaque membre de la paire aurait à produire sa flasque de poison. L'un boirait le poison de l'autre, suivi du sien, et le survivant passerait à l'étape suivante. Aucun des candidats ne put se défiler, puisque, dans le cas d'un refus, chacun était sous peine d'être tué sur-le-champ. Au fil du temps, les paires furent réduites à une seule. La nuit précédant le combat, l'un des deux concurrents réussit à se procurer un minuscule échantillon du poison de son adversaire. Horrifié, il se rendit compte que le poison de ce dernier était mille fois plus puissant que toute mixture qu'il avait ou aurait pu produire. Puis, il songea aussitôt qu'il y avait quand même une façon de remporter le concours. Comment ferait-il ?

Solution page 99.

Duel à trois

Trois hommes appelés Alfred, Bertrand et Conrad décident de se battre en duel. Pour ce concours inhabituel, chacun des trois hommes se tiendra dans l'un des coins d'un triangle équilatéral, et tirera à son tour. Son tour venu, chaque homme est libre de choisir sur lequel des deux autres tirer un seul coup. Le combat se poursuivra jusqu'à ce qu'il ne reste que un seul survivant. Les hommes savent qu'Alfred est le meilleur tireur des trois, et qu'il frappe la cible dans une proportion de 90 % des fois qu'il tire; que Bertrand est le deuxième meilleur tireur, et qu'il frappe la cible dans une proportion de 75 % des fois; mais que Conrad n'atteint la cible que dans une proportion de 50 % des fois. Il est décidé que Conrad tirera le premier, et Bertrand, le deuxième (s'il survit). Sur qui devrait tirer Conrad ? Puis, lequel des trois hommes a la meilleure chance de l'emporter ?

Solution page 100.

À vos chapeaux

20 hommes sont condamnés à mort. On leur apprend que, le lendemain matin, on les sortira dehors pour les aligner de façon à voir tous ceux qui se trouvent en avant d'eux, mais personne en arrière; ils seront ensuite enterrés dans le sable jusqu'au cou pour qu'ils ne puissent pas regarder aux alentours. On placera un chapeau blanc ou noir sur la tête de chacun. Puis, en commençant par le dernier homme (celui qui voit les 19 chapeaux devant lui), chacun devra deviner à son tour la couleur de son propre chapeau. Les hommes ont le choix de limiter leurs paroles à un seul mot : noir ou blanc. Les hommes qui devineront correctement la couleur de leur chapeau seront épargnés, et les autres, exécutés. On laisse les hommes seuls pour qu'ils puissent discuter

entre eux jusqu'au matin. Quelle stratégie devraient-ils adopter pour épargner le plus grand nombre d'hommes possible, et combien d'hommes peuvent-ils être certains de pouvoir épargner ?

Solution page 100.

Arrivée hâtive

Un homme rentre du travail chaque soir en prenant le train de banlieue qui atteint la gare où il descend à 19 h 30 pile. Sa femme vient le chercher à la gare pour le ramener à la maison en voiture. Elle maintient une vitesse de conduite constante de 30 km/h, et les époux reviennent toujours à la maison à la même heure tous les jours. Un jour, l'homme finit un peu plus tôt, et réussit à sauter dans le train qui précède celui qu'il prend habituellement sans avoir le temps de prévenir sa femme. En arrivant, il se met à marcher en direction de la maison à une vitesse constante de 5 km/h. Sa femme, qui a quitté la maison à l'heure habituelle pour venir le chercher à la gare, l'aperçoit en route. Elle s'arrête, le temps qu'il monte dans l'auto, et le ramène à la maison. Ils rentrent 20 minutes plus tôt que d'habitude. À quelle heure l'homme est-il monté dans l'auto ?

Solutions page 101.

Traversées

Quatre personnes doivent traverser un pont étroit dans le noir. La torche électrique qu'ils ont emportée avec eux doit être utilisée lors de chaque traversée. Une personne ou deux peuvent traverser le pont en même temps, mais pas plus de deux. Une personne traverse en 1 minute; une autre, en 2 minutes; une autre, en 4 minutes; et la quatrième, en 10 minutes. Comment faire pour traverser le pont le plus rapidement possible ?

Le temps d'une ficelle

Deux ficelles brûleront entièrement en l'espace de une heure chacune, mais de façon inconstante, de sorte qu'on ne peut être sûr que la moitié d'une ficelle mettra 30 minutes à brûler. Comment peut-on minuter exactement 45 minutes à l'aide des ficelles ?

Solutions page 102.

Chiffres secrets

On remet un bout de papier avec un chiffre différent à trois personnes à l'esprit cartésien. Chaque personne ne connaît que son propre chiffre. On leur apprend que la somme de deux des chiffres est 25, et que le produit de deux des chiffres est 120. On leur demande de nommer les trois chiffres. Personne n'arrive à le faire. On leur demande une deuxième fois, mais ils sont toujours bredouilles. Au bout de la troisième tentative, ils arrivent à nommer, tous les trois, les bons chiffres. Quels sont ces chiffres ?

Solutions page 103.

12
Énigmes devinettes encore et toujours
Un dernier tour de piste

1. Qu'est-ce qui vient après la lettre « e » dans l'alphabet ?

2. Quelle est la chose la plus dure lorsqu'on apprend à manier un vélo ?

3. Depuis quand frère commence par f et finit par f ?

4. Qu'est-ce qui vient avec une motocyclette, sans être employé par celle-ci, mais dont elle ne saurait se passer ?

5. Plus vous en enlevez, plus il grossit; plus vous en ajoutez, plus il rapetisse. Qu'est-ce que c'est ?

6. Par quoi deux personnes sont-elles liées, mais qui ne touche que l'une d'entre elles ?

7. Otto a une voiture dispendieuse et fiable, mais, pour une raison quelconque, au démarrage, elle bondit mal le week-end. Pourquoi ?

8. Comment faire pour diviser 11 pommes de terre équitablement entre 4 garçons ?

9. Qu'est-ce qui a quatre jambes et deux bras ?

10. Dix chats se trouvent dans une barque au milieu d'un lac. L'un des chats saute pardessus bord en apercevant un poisson; comment réagiront les autres ?

11. Pourquoi six eut-il peur ?

Solutions page 105.

Indices

Phobie du verre ?

À quoi servent les ampoules électriques ? Ce scénario peut sembler familier à certains cinéphiles.

Homme de fer-blanc ?

L'eau qui bout est-elle toujours bouillante ? L'homme est tout à fait normal, et sa main aussi – bien que ce monsieur soit manifestement en pleine forme.

Bouton pendu

Qu'est-ce qui pourrait nuire à la ficelle à travers la paroi en verre de la bouteille ?

Usage réversible

La pièce en question est beaucoup plus grande qu'une boîte à pain, mais elle a essentiellement la même utilité.

Porte-nouvelles

Les journaux ne sont pas importants en tant que tels. Quel type d'entreprise pourrait avoir une utilité quelconque pour des valises factices ?

Virage vert

À quelle réponse peut-on s'attendre de la part d'un voisin malcommode ? Le vert de la pelouse a invoqué chez l'homme une autre activité bien plus agréable.

Non, merci !

L'homme s'attendait pleinement à ce que chacun lui rende l'objet à chaque fois. Il est en voyage.

Prêt à tout

Certaines personnes portent souvent des vestes blanches. Que pourraient bien avoir en commun les objets qu'elles transportent ?

Ici, Fido

Qui, ou à quel endroit, l'homme aurait-il pu appeler ? En quoi le chien de son ami pourrait-il lui être utile ? L'homme recherche une information.

Méga vente ?

Le fait que ce soit la femme qui ait acheté cet objet pour son mari est un indice très révélateur. Elle est là lorsqu'il l'utilise, et elle insiste pour qu'il le fasse !

Trompe-l'œil

Beaucoup de gens ont été impliqués dans cette histoire, et le sont encore. Les livres d'histoire en font mention.

Question de sécurité

Pourquoi quatre verres plutôt que deux ? Il n'était pas nécessaire de se procurer absolument de la vodka. L'alcool tue parfois.

Incognito

Bien qu'il ignore ce qui l'attend, il n'a pas d'autre choix que d'y faire face. Impossible de revenir en arrière.

Crue subite

Bien que l'inondation ne soit pas imprévue, l'homme était calme et tranquille. Il ne s'agit pas d'un criminel, mais il n'a pas alerté les policiers non plus.

Presse-papier

Il ne s'agit pas ici d'un acte de violence fortuite, l'homme a été puni pour ce qu'il a fait. Alors, en quoi ces billets sont-ils différents ?

Voyage éclair

Le mauvais temps n'est pas nécessairement toujours mauvais en soi. Quel impact différentes conditions climatiques ont-elles sur les routes ?

SOLUTIONS

1
Énigmes faciles

Trompe-l'œil
Trois.

Sur ses jambes
Un cavalier sur son cheval.

Qui est là ?
La rivière de Mississippi, bien sûr !

En l'an...
1881 et 1961 (avez-vous songé aux deux ?).

La famille Tremblay
Il y a : M. et Mme Tremblay, leurs trois fils, leurs trois brus, leurs trois petits-enfants et leur fille. Cela fait 12 personnes en tout.

Cryptogramme
UN SEUL MOT

Deux fois g
Glouglou, glop glop !

Coup sûr

En jouant les noirs dans une partie, et les blancs dans l'autre, ce sont en fait les grands maîtres qui joueront l'un contre l'autre. Laissez le premier grand maître jouer son premier coup, que vous reproduirez ensuite sur la deuxième table avec un pion blanc. Lorsque votre deuxième adversaire a répondu à votre coup, vous reprenez son geste sur la première table (avec un pion noir), et ainsi de suite.

Fruits en boîte

Prenez le fruit dans la boîte étiquetée « oranges et citrons ». Comme cette boîte est mal étiquetée, elle ne contient forcément que des oranges ou des citrons. Si vous en retirez une orange, vous savez alors qu'il s'agit de la boîte remplie d'oranges. Comme la boîte étiquetée « citrons » est aussi mal étiquetée et qu'elle ne contient pas que des citrons, elle doit forcément contenir un mélange des deux, et la boîte étiquetée « oranges et citrons » est celle qui contient les oranges.

SOLUTIONS

Raccourci ?
La lettre A représente le vendredi, et la lettre B, le lundi (ou d'autres jours ayant le même écart entre eux).

Numérotation !
20 fois : 9, 19, 29, 39, 49, 59, 69, 79, 89, 90, 91, 92, 93, 94, 95, 96, 97, 98, 99. Beaucoup de gens oublient le 90 ou les deux chiffres 9 dans le nombre 99.

Il y a toujours une première fois
Le 2 février 2000 (l'an 2000 fait partie du 20ᵉ siècle !) s'écrit « 2-02-2000 » en chiffres. Tous les chiffres sont pairs. La date précédente où cela s'est produit est le 28 août 888 (28-08-888) !

Code secret
a) Une lettre sépare deux bébés de deux pépés, mais s'agit-il du B ou du P ?
b) Si la grande (grand E) mer est assez calme, c'est (cé) qu'il fait (fé) beau; si la grande (grand E) mer est agitée, c'est qu'il fait froid.

SOLUTIONS

2
Énigmes devinettes
Ou l'a b c de l'évidence

1. On a les pieds mouillés.
2. Il est préférable de l'écrire sur une feuille de papier.
3. Un réveille-matin qui sonne.
4. Des bébés rennes.
5. GLACE.
6. Du bââ...beurre.
7. Son autobiographie.
8. Une pierre tombale est érigée à la verticale, et s'appuie sur sa face inférieure.
9. Une paire de patins à roulettes.
10. Un chaton. (Le fait qu'il s'agit des Écossais n'a aucune importance, pas plus que la couleur de l'animal.)
11. Un arbre mouillé.
12. Les blaireaux (à barbe) passent habituellement l'hiver bien au chaud dans une armoire dans la salle de bain.
13. L'eau de lavage.

3
Chapeau, la science

Un vrai météorite ?

Le bruit de l'explosion ne parviendra jamais à la Terre, car le son ne voyage pas dans le vide.

Flottaison

Remplissez soigneusement le verre jusqu'à ras bord. La tension produite à la surface fera bomber l'eau (elle deviendra convexe), et le bouchon flottera vers le plus haut sommet, qui se trouve au centre du verre.

S – eau

L'homme est sous l'eau.

Pot-pourri ?

Utilisez un aimant pour retirer la limaille. En ajoutant de l'eau au reste du mélange, le bran de scie flottera à la surface, et pourra être ramassé. Comme le sel se dissout dans l'eau, mais non le sable, filtrez l'eau en la déversant dans un récipient, et le sable formera un résidu dans le fond du pot vide. Pour terminer, faites bouillir l'eau réservée pour en extraire le sel.

Passage à vide
La lumière.

Ballonner
Le ballon se déplacera dans le sens opposé aux autres objets (y compris l'air) qui se trouvent dans la voiture. Il se déplace vers l'intérieur lorsque la voiture tourne un coin, vers l'avant lorsque la voiture accélère, et vers l'arrière lors du freinage. Le ballon est plus léger que l'air ambiant. Lorsque l'air ambiant se déplace dans le sens contraire au mouvement de la voiture (comme les autres objets à part le ballon), il pousse le ballon dans la direction opposée, soit dans le même sens que la voiture.

Le trou de l'histoire
Comme l'anneau se dilate uniformément dans tous les sens, le trou grossit lui aussi.

À la hausse ou à la baisse
Le niveau d'eau dans l'écluse baissera. Lorsque l'ancre est dans le bateau, son poids s'ajoute à celui du bateau, ce qui a comme effet d'enfoncer davantage le bateau dans l'eau, et de faire remonter le niveau d'eau. Mais une fois hors

du bateau, l'ancre ne fait que déplacer un volume d'eau moindre, qui correspond à son poids; alors, le bateau remonte et le niveau d'eau descend.

Tire-bouchon

Il ne faut chauffer que le goulot, afin que seul celui-ci se dilate. Une façon consiste à frotter rapidement le goulot à l'aide d'un chiffon ou d'une ficelle pour générer de la chaleur par friction.

Tout est dans l'œuf

Une seule très exactement.

Orbites rapprochées

Bien que cela semble surprenant, la planète qui se trouve approximativement le plus près de Pluton est Mercure. Neptune et Pluton sont les planètes les plus éloignées du Soleil, mais leur orbite n'est pas alignée l'une sur l'autre, de sorte que ces planètes se retrouvent souvent à des positions diamétralement opposées de part et d'autre du Soleil.

4
Faits insolites

Travail express

Le meurtre s'est produit dans une usine, au cours de la nuit. Seuls la victime et le gardien de nuit se trouvaient à l'usine, et c'est le gardien de nuit qui a téléphoné pour rapporter le crime. Juste avant le drame, une importante chute de neige a recouvert le sol. Les policiers n'ont découvert aucune empreinte dans la neige aux abords de l'usine. Les policiers ont rapidement conclu avec raison que l'assassin n'est nul autre que le gardien de nuit.

L'arme a disparu

La femme a frappé son mari sur la tête avec un poulet très dur, parce qu'il était surgelé. Elle a ensuite fait disparaître « l'arme » en question en faisant rôtir le poulet, et en le mangeant.

Et la lumière fut

Le nom inhabituel de treize lettres de ce village polonais comportait plusieurs Z, X, K ainsi que un J. Les briseurs de codes du camp des alliés espionnaient les messages allemands sans toutefois pouvoir les déchiffrer. Un jour, ils ont intercepté une transmission codée qui comportait une suite inhabituelle de lettres. C'est ce qui leur a enfin permis de briser le code des Allemands. Par contre, ceux qu'ils ont pris pour des Allemands à cause de cette suite inhabituelle de lettres étaient en fait leurs alliés.

Rabat-joie

L'enveloppe contenait deux clichés radiographiques. Ces derniers ont été inversés lorsqu'on les a retirés de l'enveloppe, parce qu'ils étaient mal placés à l'intérieur de celle-ci, de sorte que le cliché droit s'est retrouvé à la place de celui de gauche. Ce fut donc le poumon sain du patient qui fut excisé par erreur, et le malheureux en est décédé.

W.C.

Winston Churchill est né prématurément dans les toilettes publiques alors que sa mère était venue assister à un bal.

Bingo

Le chiffre quatre prononcé en anglais (*four* pour *fore*!). L'homme a reçu une balle de golf sur la tête, et il est mort sur le coup.

Au naturel ?

Elles battent des ailes. Les ouvrières sont des abeilles en train de fabriquer du miel.

Et surtout, ne reviens pas !

La dame a demandé quel était le tarif pour expédier un cercueil au crématorium.

Problème d'ordre alimentaire

Non coupable. Il avait ouvert un sac de biscuits sur lequel était inscrit « 25 % des biscuits sont gratuits ». Il a invoqué n'avoir mangé que les biscuits gratuits.

À brûle-pourpoint

Il a acheté ce tapis lors de la vente aux enchères d'objets provenant d'un atelier d'orfèvre. Il a incinéré le tapis pour récupérer la poudre d'or à coup sûr emprisonnée dans les fibres de ce dernier.

Loterie express

Il est médecin anesthésiste. En déchiffrant quelles équations permettent de concevoir des solutions chimiques plus efficaces, celles-ci agissent plus rapidement sur les gens, et leur font compter les moutons.

Tentative

L'explorateur est malade, et la tente est une tente à oxygène.

Ouille !

Une huître. L'huître produit parfois une perle lorsqu'elle a été attaquée et blessée d'une manière quelconque.

5
Vision périphérique

Changement rapide

Cela se fait en déplaçant trois balles. Descendez la balle au sommet du triangle, et placez-la directement au centre, sous la rangée de quatre balles. Remontez maintenant les deux balles du bout de la rangée à quatre balles vers la rangée qui en contient deux. Le triangle est maintenant inversé, et pointe vers le bas.

Cas de figure

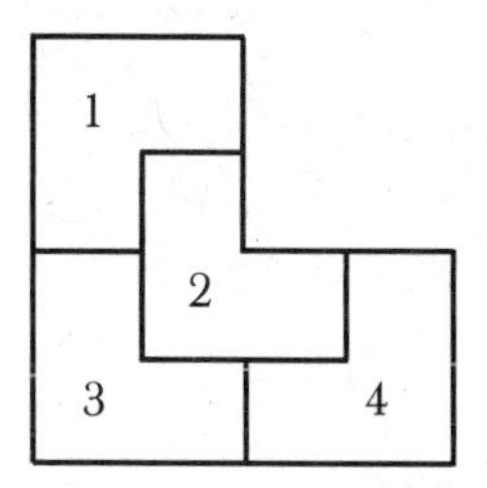

Jeu d'allumettes

Utilisez la troisième dimension pour former une pyramide (ou plus précisément un tétraèdre).

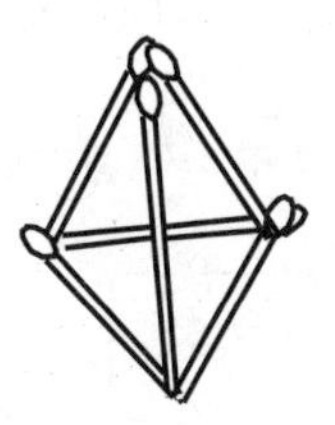

2 sur 2

Non. La figure contient 47 carrés (49 – 2), soit un chiffre impair. Elle ne peut donc être répartie en tuiles de 2 sur 1.

Non. Imaginez que la figure carrée originale mesurant 6 sur 6 est répartie en petits carrés adjacents noirs et blancs, comme un échiquier. Alors, les deux petits carrés qui ont été enlevés sont de la même couleur.

Charger les cases

Voici une solution, mais il y en a plusieurs autres.

1	2	3
8	9	4
7	6	5

Vous devez produire six totaux différents, mais le total minimum pouvant être produit est 2 + 1 = 3, et le total maximum pouvant être produit est 4 + 3 = 7. Cependant, comme seulement 5 totaux peuvent être produits, soit : 3, 4, 5, 6 et 7, la tâche est impossible.

Tout est dans la queue!

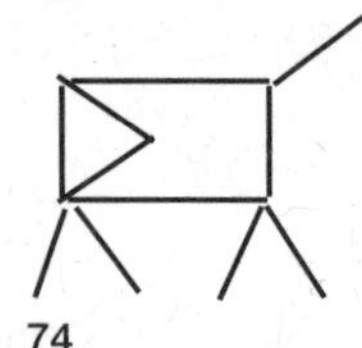

Point à la ligne !

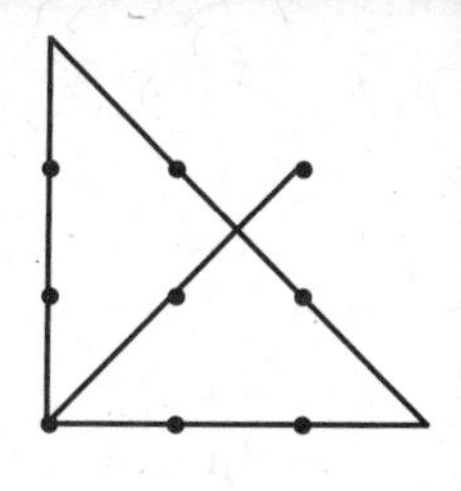

A. Pour résoudre cette énigme notoire, vous devez penser, et agir, « hors de la boîte ». C'est d'ailleurs de là que vient l'expression.

B. En repliant le papier tel qu'illustré ci-contre.

Liquéfié ?

Mesurez la hauteur du liquide que contient la bouteille, et mesurez ensuite le diamètre de la base de la bouteille. Estimez le volume du liquide en multipliant la mesure de la base obtenue par la hauteur du liquide. Virez la bouteille à l'envers, et mesurez la hauteur de la partie vide remplie d'air qui se trouve dans la partie supérieure de la bouteille, dont le goulot pointe maintenant vers le bas. Estimez le volume de l'air, et additionnez ensuite les deux mesures obtenues pour déterminer le volume total de la bouteille.

À vos marques !

Disposez les allumettes de façon à isoler en un groupe les chiffres 11, 12, 1 et 2, dans un autre les chiffres 10, 3, 9, et 4, et dans un dernier groupe les chiffres 8, 5, 7 et 6. La somme de chacun de ces groupes est 26.

Les crayons de l'amitié

Disposez trois crayons de façon à ce que leur gomme à effacer touche à toutes les gommes à effacer, puis disposez les trois autres sur le dessus comme l'indique l'illustration.

6
Énigmes devinettes en rappel

1. En imbriquant les deux 0 l'un dans l'autre pour former le chiffre 8.
2. Un chiffre pair : réPERtoire téléphonique.
3. Des œufs brouillés.
4. Il tient un billet de loterie à l'envers (NO 618).
5. Elle a cinq garçons. Alors, la moitié d'entre eux ne peuvent être que des garçons.
6. Chacun de ces chiffres ne contient que quatre lettres lorsqu'on l'épelle.
7. Un passage à niveau (un croisement à niveau entre une ligne ferroviaire et une voie routière).
8. À la surface d'une sphère.
9. Son souffle.
10. Les deux hommes n'étaient pas ensemble lorsqu'ils se sont perdus. Ils tentaient de retrouver leur chemin chacun de leur côté lorsqu'ils se sont croisés par hasard.
11. Elle mettra six secondes à sonner les quatre coups de 16 h. Un intervalle sépare le premier du deuxième coup de 14 h, voilà

pourquoi l'horloge met deux secondes à les sonner. Puisque trois intervalles séparent le premier du quatrième coup de 16 h, l'horloge met trois fois plus de temps à les sonner.

12. Guillaume tient un verre d'eau au-dessus de sa tête.

13. Trois. Tom, Didier et Harry sont des frères, et chacun a trois sœurs. Alors, ils ont trois sœurs en tout.

14. Vous devrez prendre 5 chaussettes en tout pour vous assurer d'obtenir une paire de la même couleur, car il n'y a que quatre couleurs en tout : noir, bleu, vert et gris. Le nombre de chaussettes de chaque couleur n'a aucune pertinence.

15. Tom aura 4048, car cela ne se reproduira pas avant 6009.

7
Énigmes et indices

Phobie du verre?
La femme est aveugle, et un assassin est à ses trousses. En brisant toutes les ampoules électriques, elle s'organise pour que le tueur soit désavantagé par la noirceur, et qu'il ne puisse pas faire de la lumière (extrait du film *Seule dans la nuit*, distribué par les studios Warner Bros.).

Homme de fer-blanc?
L'homme se trouve en haute montagne. L'eau bout à une température beaucoup moins élevée à haute altitude parce que la pression de l'air y est plus basse. Ainsi, il ne s'est pas brûlé la main.

Bouton pendu
Il est possible de se servir d'une loupe pour faire converger les rayons du soleil sur la ficelle, et la faire brûler. Le bouton tombera alors au fond de la bouteille.

Usage réversible

La femme inuite s'est procuré un réfrigérateur pour empêcher ses aliments de devenir trop froids.

Porte-nouvelles

La direction d'un aéroport a utilisé les valises remplies de journaux pour faire patienter les voyageurs qui attendaient l'arrivée de leurs bagages sur le carrousel à bagages. Les valises factices ont donné l'impression aux gens que le déchargement des bagages était commencé, ce qui a eu comme effet de calmer l'impatience des passagers.

Virage vert

Au fond, l'homme désire plutôt emprunter les bâtons de golf de son voisin grincheux, mais il sait qu'il essuiera un refus du genre : « Non, car j'ai l'intention d'aller jouer au golf. » Alors, en demandant s'il peut emprunter la tondeuse, il déjoue son voisin, qui lui répondra sûrement : « Non, car j'ai l'intention de tondre mon gazon aujourd'hui. » Ce qui permettra à l'homme de demander s'il peut emprunter les bâtons de golf, puisque l'autre doit s'affairer à tailler sa pelouse.

Non, merci !

Un appareil-photo. L'homme, un touriste, visite de nombreux sites, et demande aux gens de le prendre en photo.

Prêt à tout

La femme est professeure de chimie; elle se dirige vers le laboratoire de l'école. Comme elle s'apprête à donner un cours sur le carbone, elle transporte dans sa poche un diamant, un crayon à mine et un morceau de charbon pour illustrer les différentes formes que peut prendre le carbone.

Ici, Fido

L'homme a appelé une compagnie aérienne pour réserver un vol. L'agent de la compagnie, qui doit le rappeler, lui demande un numéro de téléphone où le joindre. Ne connaissant pas de mémoire le numéro de téléphone de son ami, mais sachant qu'il se trouve sur la médaille accrochée au collier du chien, il pourchasse le chien à travers la maison pour obtenir le numéro.

Méga vente ?

Il s'agit d'un pince-nez en plastique qui empêche de ronfler. L'homme s'en sert lorsqu'il est avec sa femme, mais jamais lorsqu'il part seul en voyage d'affaires.

Trompe-l'œil

L'histoire remonte à 1066. Les Anglo-Saxons ne se servaient pas couramment de leur nom de famille à l'époque; ils disaient plutôt Jean le berger ou Thomas le boucher. Lorsque le roi Harold reçut une flèche dans l'œil lors de la bataille d'Hastings en 1066, il perdit la bataille aux mains de Guillaume le Conquérant. Les Normands prirent le contrôle de l'Angleterre, et obligèrent dès lors le port du nom de famille.

Question de sécurité

Le domicile de cette famille est situé dans le désert du Nouveau-Mexique, qui fourmille de scorpions venimeux. Le couple insère chacune des quatre pattes du berceau de l'enfant dans un verre contenant un peu de vodka. Bien que les scorpions puissent grimper aux pattes des meubles ordinaires, ils ne peuvent grimper sur le verre, et ils détestent l'alcool ! Il est d'ailleurs possible de tuer un scorpion en l'aspergeant d'alcool.

Incognito

L'homme a décidé de raser sa barbe. Après l'avoir rasée, il découvre qu'il a un double menton.

Crue subite

L'homme est allongé sur une chaise de plage en train de lire un roman policier. Il ferme les yeux un moment, et dépose son livre. La marée en profite pour monter jusqu'à lui, et pour emporter le livre vers le large en se retirant. L'homme n'a jamais pu découvrir qui était l'assassin !

Presse-papier

L'homme est en vacances dans un pays où la devise comporte l'effigie du roi. Pour les gens de ce pays, mettre l'argent dans sa chaussure et piétiner le visage du roi constitue une insulte terrible; ils ont donc décidé de venger l'honneur de leur monarque.

Voyage éclair

Dans certains endroits comme le nord de la Finlande, la surface de nombreux lacs gèle en profondeur pendant l'hiver. L'été, emprunter les routes qui longent les lacs pour les contourner est beaucoup plus long qu'emprunter les routes qui sillonnent les lacs en hiver, même par jour de tempête !

8
À moi les maths!

Allumettes

a) VI = II devient XI = II

b) VI = II devient VT = I

c) II = XXIII/VIII devient TT (pour pi) = XXII/VII (la valeur approximative de pi est estimée par 22/7)

D'un seul trait

Ajoutez un trait et...

4+444+44 = 492

10 TO 10 = 9,50 (espace T0)

Match nouveau genre

Si 47 personnes prennent part au tournoi, et qu'il n'y a que un seul vainqueur, 46 personnes devront perdre. 46 parties devront être jouées au total puisqu'il y aura un perdant à chaque partie.

Numériseur

Les deux nombres sont 6729 et 13458.

Et patati ! Et patatable !

Le fermier doit planter les 10/19 d'une tonne de pommes de terre. S'il plante x tonnes chaque année, chaque récolte sera 20x. Comme il vend 10 tonnes, il lui restera 20x – 10 tonnes = x.

$20x - 10 = x.$

$19x = 10.$

$x = 10/19.$

Stratégie gagnante

Si vous êtes capable d'atteindre le chiffre 89, vous serez en mesure d'atteindre le chiffre 100 le premier, peu importe ce que jouera votre adversaire. Si vous êtes capable d'atteindre le chiffre 78, vous pouvez atteindre 89. Tout se joue par intervalles de 11. Les totaux qu'il faut obtenir sont : 89, 78, 67, 56, 45, 34, 23 et 12. Si vous jouez le premier, jouez le 1, et arrangez-vous pour vous rendre à 12 à votre deuxième coup.

Si vous êtes le second à jouer, et que votre adversaire joue autre chose que le 1, atteignez immédiatement le 12.

Poignée 1, poignée 2...

Chaque poignée de main comporte deux étapes – une poignée de main pour chaque participant. Ce qui signifie que le nombre total de poignées de main sera nécessairement pair. Le nombre de fois que certaines personnes auront serré la main d'autres personnes sera pair. Si vous faites abstraction de ce nombre, vous obtiendrez quand même un nombre pair. Le nombre de fois que certaines personnes auront serré la main d'autres personnes sera impair. Mais le nombre de personnes à avoir serré la main un nombre impair de fois sera toujours pair, car il est impossible d'obtenir un total pair en additionnant un nombre impair de chiffres impairs.

Question de robinets

Le tiers de la baignoire se remplit en une minute, et le cinquième de la baignoire se vide en une minute. Si les deux effets se produisaient simultanément, les deux quinzièmes de la baignoire se rempliraient en une minute, et la baignoire au complet se remplirait en 7 minutes et demie. Ou du moins, cela est la réponse mathématique. En réalité cependant, la vitesse à laquelle se remplit une baignoire n'est pas constante. Elle varie en fonction de la pression de l'eau qui recouvre le drain. Dès lors, la « vraie » réponse à la question posée est que la baignoire ne se remplira probablement jamais.

Fléchettes et math

Six fléchettes : quatre x 17 et deux fois 16.

Figure 8

Voici deux façons :

8 + 8 + 8 + 88 + 888 = 1 000

(8888 – 888) / 8 = 1 000.

En connaissez-vous une autre ?

SOLUTIONS

9
Énigmes visuelles

Petit futé

La lettre N, car c'est la forme que dessine son numéro de téléphone sur le clavier de l'appareil (bon nombre de lettres peuvent avoir la même utilité pour les utilisateurs qui pensent latéralement).

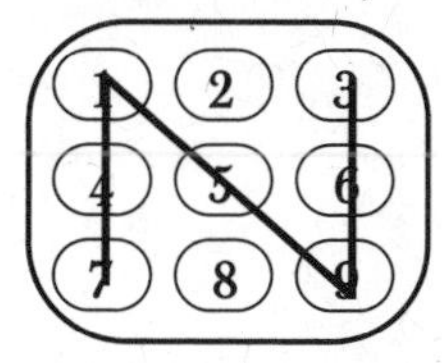

Rapport d'angle

Les deux triangles sont semblables. Imaginez maintenant que le triangle intérieur effectue une rotation de 180 degrés. Il répartira alors le triangle extérieur en quatre triangles égaux. L'aire de chaque triangle étant donc de 10 cm^2, l'aire du grand triangle mesure 40 cm^2.

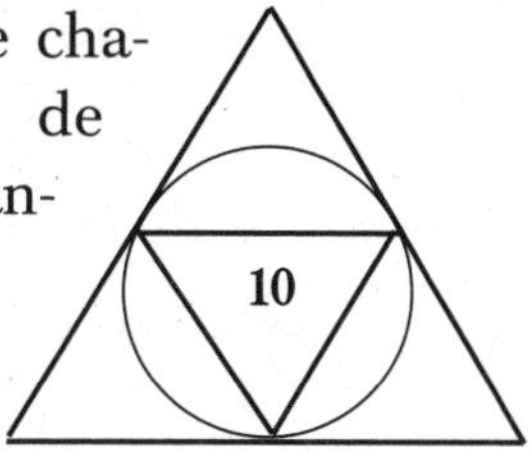

10

Bêêê

Voici comment :

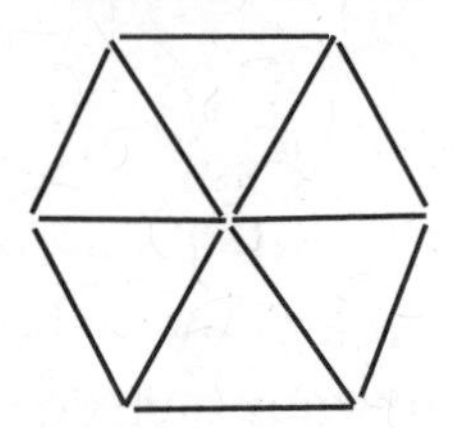

Place P

Faites réfléchir le point B sur la rive la plus proche pour former le point B', puis tracez une ligne droite de A à B'. Le point P se trouve à la jonction de la ligne et de la rivière.

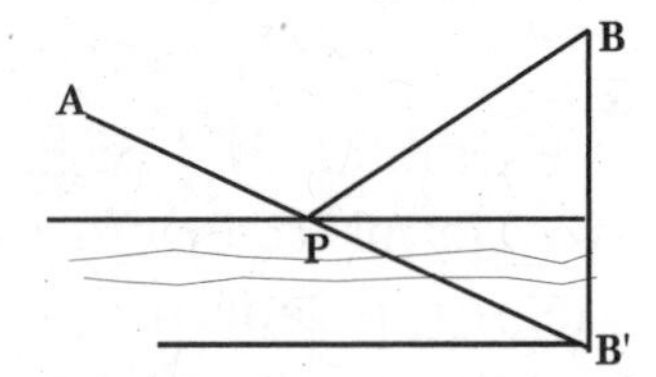

Converger

En les plantant comme ceci :

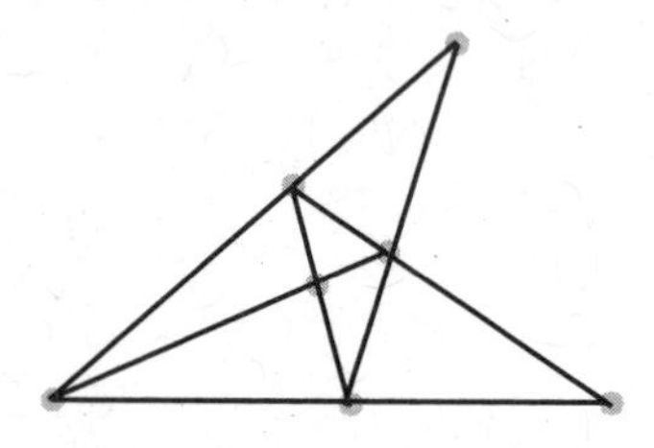

Au rayon du cercle

L'aire du cercle est mesurée par l'équation (πR^2-πr^2), R étant la mesure du rayon du grand cercle, et r, la mesure du rayon du petit cercle. Construisez un triangle à angles droits depuis le centre O, dont la base est constituée par la tangente. Nous avons comme données pour ce triangle : R2 = r^2 + 52.

Donc, 25 = R2-r^2. En multipliant les deux côtés de l'équation par π, l'aire du cercle est 25π cm^2.

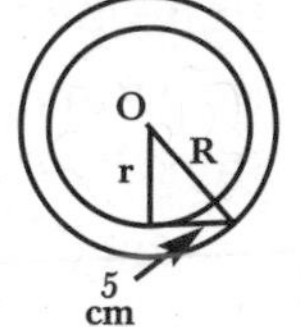

L'AX est la question

Le rayon du cercle est OA + AB = 7. OAXY forme un rectangle, de sorte que AX = OY = la mesure du rayon = 7.

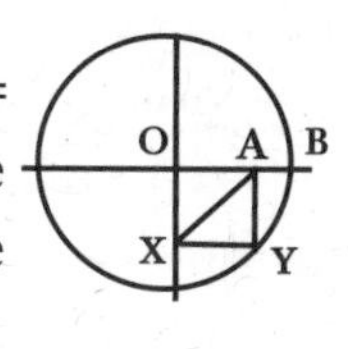

Tour du chapeau

C déclare que son chapeau est sûrement blanc. Voici son raisonnement : « Si je portais un chapeau noir, alors D verrait trois chapeaux noirs, et déduirait que le sien est blanc (puisque tous les chapeaux ne sont pas de la même couleur). Puisque D ne peut se prononcer, c'est qu'il aperçoit un chapeau blanc sur ma tête. »

Missouri ?

Cela peut sembler incroyable, mais cette énigme peut être résolue sans traverser la rivière. Placez-vous face à un jalon quelconque, comme un buisson, qui se trouve sur l'autre rive. Appelez ce point de repère X, et l'endroit où vous vous trouvez, Y. Marchez le long d'une ligne perpendiculaire à XY sur une distance que vous fixez (par exemple, sur 4 mètres), et marquez cet endroit avec une branche. Appelez cet endroit A. Continuez d'avancer en ligne droite sur la même distance que vous avez déjà fixée, et marquez ce nouvel endroit B. Marchez maintenant le long d'une ligne perpendiculaire à YAB en vous éloignant de la rivière jusqu'à ce que vous aperceviez le buisson et la branche (les points X et A) l'un vis-à-vis l'autre (en ligne droite) depuis votre point de mire. Appelez cet endroit C. La largeur de la rivière est la mesure de BC, car les deux triangles XYA et ABC sont identiques.

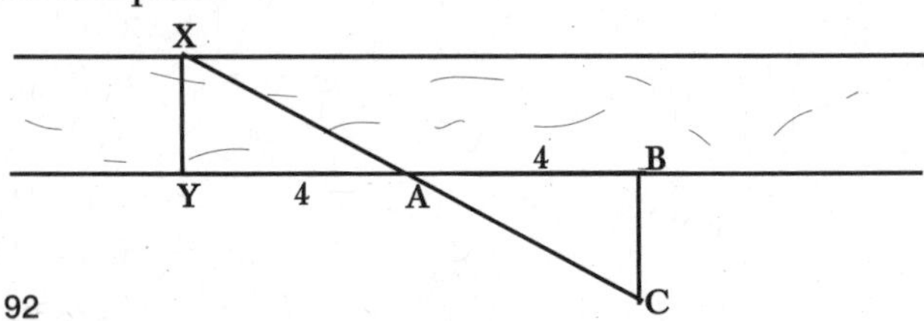

Arts visuels

Il y a deux possibilités :

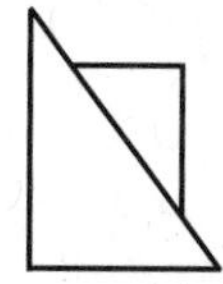

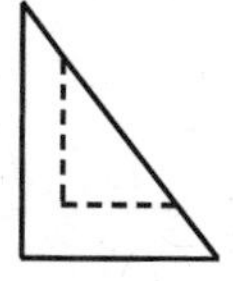

Cours d'arts

Placez une feuille de papier sur le flanc d'une bouteille cylindrique. Servez-vous des compas comme vous le faites pour dessiner un cercle; ces derniers dessineront une ellipse sur la surface arrondie.

10
Énigmes farfelues

Triple jeu !

Première solution : 5 : b-o-n-n-e.
Deuxième solution : 28 : l-a-b-o-n-n-e-r-é-p-o-n-s-e-à-c-e-t-t-e-q-u-e-s-t-i-o-n.
Troisième solution : 0 : le chiffre 0 n'a pas de lettres (il n'y a pas qu'une seule bonne réponse).

Port payé

L'homme est un philatéliste (collectionneur de timbres) et grand admirateur d'Elvis Presley. Le service des postes américain ayant émis un timbre à l'effigie d'Elvis Presley, l'homme s'assure de l'envoyer à une adresse fictive, pour que la lettre lui revienne libellée comme suit : *Return to Sender*, soit le titre de l'un des plus grands succès d'Elvis.

Il y a des limites !

Il a inséré la canne à pêche en diagonale dans une boîte mesurant 4 mètres (longueur) sur 1,65 mètres (largeur).

InDÉFini

INOPiné (ou iNOPinément), et iNOPportun (ou iNOPportunément ou encore iNOPportunité).

Partie de poker

Ni l'un ni l'autre. Un jeu de cartes régulier ne contient que quatre as.

Saute-boutons

En déposant 3 boutons dans la première tasse, 3 boutons dans la seconde, et 3 boutons dans la troisième. Puis, vous insérez la troisième tasse dans la quatrième. Chacune des tasses contient maintenant 3 boutons.

Tout compte fait...

De l'expression somme toute, il restera la somme.

Comme c'est bizarre!

Emplissez le verre à la moitié, et mélangez du sel à l'eau pour augmenter la densité de celle-ci. Ajoutez l'œuf cru; il flottera à la surface de l'eau salée. Ajoutez ensuite de l'eau fraîche avec le plus grand soin. L'eau fraîche couvrira l'eau salée, et le jaune d'œuf flottera au milieu.

Ni plus ni moins
Les deux côtés de l'équation contiennent chacun une combinaison des chiffres 1 et 2.

À chances égales
Les retombées « face » sont plus nombreuses que les retombées « pile », mais la probabilité de deux retombées consécutives « face, puis pile » est égale à la probabilité de deux retombées consécutives « pile, puis face ». Chaque personne doit lancer la pièce à deux reprises; l'une mise sur le fait que la première combinaison sera « face, puis pile », et l'autre, « pile, puis face ».

Coude à coude

perspectives latérales

Mouton noir ?
L'oncle de Charles n'a que 17 ans, alors il ne peut pas encore voter.

11
Exercices de logique

Sous-entendu
Le nombre 100 (cent).

Damer le pion
B B _ N N
B _ B N N
B N B _ N
B N B N _
B N _ N B
_ N B N B
N _ B N B
N N B _ B
N N _ B B
(Essayez maintenant BBB_NNN).

Cube par cube
La réponse est « non ». Prenez le cube central, par exemple. Comme il a six surfaces distinctes, six coupes sont nécessaires pour tailler chaque surface.

Révéler son âge

Elle est âgée de 44 ans. Si son âge moins 2 (le reste) peut être divisé par 7 et par 3, ce chiffre est nécessairement un multiple de 21. Il devient alors facile de calculer son âge.

Le temps d'un arrêt

Oui. Imaginez le saint homme qui commence à escalader la montagne alors que son vrai jumeau commence à en redescendre, exactement au même moment. Il est certain qu'ils se croiseront à un moment précis sur le sentier.

Emballons-nous

10 emballages permettent d'obtenir une CHOCKOBLOCK gratuite. Il semblerait donc que un emballage corresponde au 1/10 de une barre, mais ce 1/10 est lui-même enveloppé dans 1/10 de l'emballage, ce qui équivaut au 1/100, et ainsi de suite. Si l'emballage correspond à 1/10 + 1/100 + 1/1000, etc., cela équivaut au 1/9 de la barre. Cette réponse est-elle vraisemblable ? Oui. Si vous détenez 9 emballages, procurez-vous une barre, puis enlevez l'emballage. Ajoutez celui-ci aux 9

autres pour totaliser 10 emballages, et vous obtiendrez une barre gratuite !

Faux billet

Cette histoire confond bon nombre de personnes. Comme le marchand voisin rentre dans son argent, la perte du marchand de chaussures équivaut au gain du client. Ce dernier a empoché 20 $, et pris les bottes d'une valeur de 30 $; la perte du marchand de chaussures totalise donc 50 $ (20 $ + 30 $).

Dose létale

Quelques instants avant le début de la dernière étape du concours, l'alchimiste, qui était aussi un adepte de pensée latérale, prit une gorgée de son poison dont l'action était très lente. Il jeta ensuite le contenu de sa flasque, et la remplit d'eau. Une gorgée du poison plus puissant de son adversaire lui laissa la vie sauve. Mais lorsque son ennemi but l'eau que contenait sa flasque, suivie du poison, il mourut sur-le-champ pour n'avoir absorbé que un seul poison et non deux.

Duel à trois

Conrad devrait pointer son fusil en l'air, et manquer délibérément son coup. Son intérêt est que les deux autres meilleurs tireurs combattent jusqu'à ce que l'un d'eux soit éliminé. Ensuite, lorsque ce sera à lui de tirer, Conrad aura une chance sur deux d'atteindre sa cible. Il pourrait rater son coup, mais son adversaire aussi, ce qui lui laisserait une autre possibilité de réussite de 50 %. De cette façon, Conrad détient la meilleure chance de remporter le duel, et la probabilité de réussir son coup surpasse 50 %.

À vos chapeaux

Le premier homme à deviner peut apercevoir 19 chapeaux. Il compte alors le nombre de chapeaux noirs. Si ce nombre est impair, il dit « noir »; s'il est pair, il dit « blanc ». Le deuxième homme à répondre peut maintenant déduire la couleur de son chapeau en se basant sur le nombre total de chapeaux noirs qu'il voit devant lui. Par exemple, s'il voit 7 chapeaux noirs, et qu'il entend le premier homme dire « blanc », il sait alors que son chapeau doit être noir pour que le nombre de chapeaux noirs vus par le premier homme soit un chiffre pair. Cette stratégie s'applique à tous les autres hommes, chacun leur tour. En procédant ainsi, ils s'assurent d'épargner 19 hommes. Si le premier homme a une chance sur deux de deviner correctement la couleur de son propre chapeau, cette certitude grimpe à 19,5 sur 20.

Arrivée hâtive

À 19 h 20. Dans cette énigme, les distances et les vitesses n'ont pas d'importance; seule la vélocité constante de la voiture entre en jeu. Ils rentrent 20 minutes plus tôt que d'habitude, ce qui veut dire que les trajets ont été raccourcis de 10 minutes de part et d'autre (le retour en train et le retour à la maison). Ils se sont croisés 10 minutes plus tôt que d'habitude.

Traversées

Appelons chaque personne 1, 2, 4 et 10, en fonction du temps qu'elle met à traverser le pont.

1 et 2 traversent (2 minutes).
2 revient (2 minutes).
4 et 10 traversent (10 minutes).
1 revient (1 minute).
1 et 2 traversent (2 minutes).

Cela prendrait 17 minutes en tout.

Le temps d'une ficelle

En allumant d'abord les deux bouts de la première ficelle, et un seul bout de la deuxième. Lorsque la première est entièrement consumée, nous savons que 30 minutes se sont écoulées. En allumant immédiatement l'autre bout de la deuxième ficelle, nous savons qu'elle mettra 15 minutes à finir de brûler, ce qui fait 45 minutes en tout.

Chiffres secrets

Les chiffres 5, 20 et 24. Il n'existe aucun nombre entier x, y dont le produit xy = 120 et la somme x + y = 25.

Chacun des chiffres doit donc nécessairement faire partie de l'équation, soit pour la somme, soit pour le produit. Examinons les solutions possibles :

a)	b)
13, 12, 10	15, 10, 12
17, 15, 8	15, 10, 8
19, 6, 20	20, 5, 6
21, 4, 30	20, 5, 24
22, 3, 40	24, 1, 5
23, 2, 60	
120, 1, 24	

Aucune des combinaisons du groupe « a » n'est la réponse, parce que si l'une des trois personnes détenait le premier chiffre, elle devinerait immédiatement les deux autres (si par exemple son chiffre est le 13, les deux autres sont alors évidents).

Au deuxième essai, les trois savent que la réponse fait partie du groupe « b ». Toutefois, à la suite de cet essai, elles sont maintenant en mesure de déduire que :
La première combinaison du groupe « b » n'est pas la réponse (sinon, la personne ayant le chiffre 12 le saurait); la seconde combinaison non plus (sinon, la personne ayant le chiffre 8 le saurait). Ce raisonnement s'applique aussi aux combinaisons 3 et 4 (la personne ayant le chiffre 6 le saurait), ainsi qu'à la dernière (la personne ayant le chiffre 1). La combinaison 20 5 24 est donc la seule solution possible.

12
Énigmes devinettes encore et toujours

1. Il y a deux réponses possibles : la lettre t (alphabet) ou la lettre l (l'alphabet).
2. Le pavé.
3. « Frère » a toujours commencé par f, et « finit » a toujours commencé par f.
4. Le bruit qu'elle fait.
5. Un trou.
6. Une alliance (bague de mariage).
7. Sa voiture est une BMW.
8. En les réduisant en purée.
9. Un fauteuil.
10. En sautant eux aussi; ce sont des chats pêcheurs, et la barque se trouve au milieu d'un lac à truites.
11. Parce que sept a mangé neuf.

Découvrez
un aperçu du livre
Testez votre logique
paru dans la même collection.

Sur la tablette

Mélanie est une auteure prolifique, qui a publié trois genres d'ouvrages. Elle range une copie de chacun de ses livres publiés dans une bibliothèque à trois tablettes (tel qu'illustré ci-contre), chacune d'elles contenant un genre d'ouvrages. Retrouvez, pour chaque tablette, le genre des livres qui y sont rangés et leur nombre.

1. Mélanie a rédigé trois guides touristiques (placés sur la tablette du haut) de plus que de romans à énigme.

2. Les livres de cuisine sont sur une tablette située quelque part au-dessus de celle qui contient exactement sept livres.

3. Mélanie a écrit 25 livres en tout.

Solution à la page 120.

haut
milieu
bas

Tout arrêter

Au cours des quatre dernières années (1999-2002), Max s'est débarrassé de quatre habitudes, en ayant chaque fois recours à une méthode différente (dont la psychothérapie). Retrouvez, pour chaque habitude, l'année où il s'en est débarrassé et la méthode employée pour y parvenir.

1. En 2000, Max a arrêté de fumer la cigarette.

2. Il a arrêté de boire du café deux ans avant d'arrêter autre chose avec l'aide d'un groupe de soutien.

3. Max a employé l'hypnose pour arrêter de regarder la télévision.

4. Il n'a pas arrêté de manger des desserts l'année qui a suivi celle où il a employé un entraîneur pour se débarrasser d'une habitude.

Solution à la page 121.

année	habitude	méthode
1999		
2000		
2001		
2002		

Philosophes et comiques

Alors qu'ils prennent une pause durant une séance d'études tardive, Antoine et ses deux colocataires se sont lancés dans une conversation animée sur les mérites de trois philosophes existentiels, tout en regardant un film des Trois Stooges à la télévision. Retrouvez, pour chaque colocataire, le philosophe et le comique préférés.

1. L'étudiant qui préfère les œuvres d'Albert Camus apprécie aussi le plus les pitreries de Larry.

2. Le comique préféré de Nicolas n'est pas Moe.

3. L'étudiant qui a le plus de respect pour l'œuvre de Simone de Beauvoir ne préfère pas Curly.

4. L'existentialiste préféré de Fred est Jean-Paul Sartre.

Solution à la page 122.

	Camus	de Beauvoir	Sartre	Moe	Larry	Curly
Antoine						
Fred						
Nicolas						
Moe						
Larry						
Curly						

Emploi d'été

Pendant l'été, Josée a gagné de l'argent en travaillant pour quatre voisins, à une tâche différente pour chacun d'eux. Retrouvez, pour chaque voisin, le numéro de rue et la tâche effectuée par Josée.

1. Jacques a engagé Josée pour promener ses chiens.

2. Ariane ou Maurice habite au N° 141.

3. Rachel habite deux maisons à l'est de la personne qui a engagé Josée pour garder ses enfants.

4. Le voisin qui habite au N° 139 et la personne qui a engagé Josée pour faire le ménage sont de sexe opposé.

5. La personne qui a engagé Josée pour jardiner n'habite pas au N° 143.

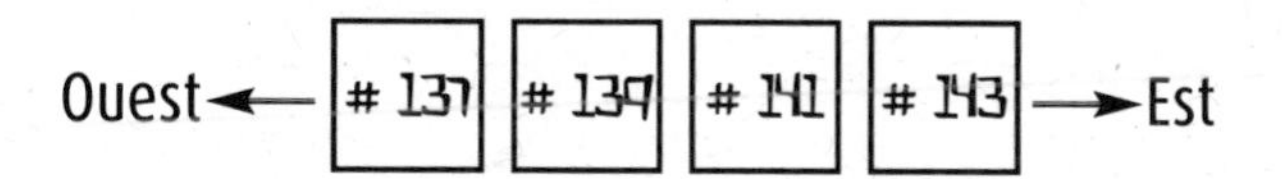

Solution à la page 123.

Lire entre les lignes

Deux couples mariés travaillent ensemble à la bibliothèque. Les deux bibliothécaires (multimédia et en chef) disent toujours la vérité alors que les deux commis (aux périodiques et à la référence) mentent toujours. Retrouvez l'emploi de chaque personne.

Alain

1. Chloé n'est pas la bibliothécaire en chef.
2. Ma femme n'est pas le commis à la référence.

Benoîte

3. Les bibliothécaires sont tous les deux des hommes.

Chloé

4. Daniel est mon mari.

Daniel

5. Ma femme est le commis aux périodiques.

Solution à la page 124.

prénom	emploi
Alain	
Benoîte	
Chloé	
Daniel	

Ours d'un soir

Avant d'aller se coucher hier soir, quatre membres de la famille de Véronique (dont son frère) l'ont aidée à interpréter l'histoire de Boucle d'Or et les trois ours. Véronique jouait Boucle d'Or et chaque membre de sa famille jouait un personnage différent (y compris Bébé Ours). Retrouvez, pour chaque personne, le personnage interprété et le lien de parenté avec Véronique.

1. Alex, qui jouait Papa Ours, n'est pas le père de Véronique.

2. Rémi n'a joué ni Maman Ours ni la mère de Boucle d'Or.

3. L'oncle de Véronique, Gérard, n'a pas joué la mère de Boucle d'Or.

4. Ni Alex ni Laurent n'est le grand-père de Véronique.

Solution à la page 125.

	frère	père	grand-père	oncle	Papa Ours	Maman Ours	Bébé Ours	mère de Boucle d'Or
Alex								
Gérard								
Laurent								
Rémi								
Papa Ours								
Maman Ours								
Bébé Ours								
mère de Boucle d'Or								

Sur la tablette

La tablette du haut contient les guides touristiques (1). Les livres de cuisine ne sont pas sur la tablette du bas (2); donc ils sont sur la tablette du milieu. En y allant par élimination, la tablette du bas contient les romans à énigme. Il y a 7 romans à énigme (2); donc il y a 10 guides touristiques (1). On a 17 livres sur 25 (3); donc Mélanie a écrit 8 livres de cuisine.

haut	guides touristiques	dix
milieu	livres de cuisine	huit
bas	romans à énigme	sept

Tout arrêter

En 2000, Max a arrêté de fumer la cigarette (1). Il a arrêté de boire du café en 1999 et a employé un groupe de soutien en 2001 (2). Max a employé l'hypnose pour arrêter de regarder la télévision (3); donc c'était en 2002. En y allant par élimination, il a arrêté de manger des desserts en 2001. Il n'a pas employé un entraîneur en 2000 (4); donc il a employé un psychothérapeute. Par élimination, il a employé un entraîneur en 1999.

1999	café	entraîneur
2000	cigarette	psychothérapie
2001	desserts	groupe de soutien
2002	télévision	hypnose

Philosophes et comiques

Un étudiant préfère Camus et Larry (1). L'étudiant qui aime Simone de Beauvoir ne préfère pas Curly (3); donc il aime Moe. En y allant par élimination, l'étudiant qui aime Sartre aime aussi Curly. Cet étudiant est Fred (4). Le comique préféré de Nicolas n'est pas Moe (2); donc c'est Larry. En y allant par élimination, le comique préféré d'Antoine est Moe.

Antoine	de Beauvoir	Moe
Fred	Sartre	Curly
Nicolas	Camus	Larry

Emploi d'été

Ariane ou Maurice habite au N° 141 (2). Rachel habite au N° 143 et la personne au N° 139 a engagé Josée pour garder ses enfants (3). Jacques a engagé Josée pour promener ses chiens (1); donc il habite au N° 137. Rachel, au N° 143, n'a pas engagé Josée pour jardiner (5); donc la personne au N° 141 l'a engagée pour jardiner. En y allant par élimination, Rachel a engagé Josée pour faire le ménage. Ainsi, un homme habite au N° 139 (4); donc c'est Maurice. En y allant par élimination, Ariane habite au N° 141.

N° 137	Jacques	promener les chiens
N° 139	Maurice	garder les enfants
N° 141	Ariane	jardiner
N° 143	Rachel	faire le ménage

Lire entre les lignes

Si Benoîte a dit la vérité, elle devrait être une bibliothécaire (intro), ce qui est une contradiction (3). Ainsi, Benoîte a menti; donc c'est un commis (intro). Les bibliothécaires ne sont pas tous les deux des hommes (3); donc Chloé est une bibliothécaire. Ainsi, Chloé a dit la vérité (intro); donc c'est la femme de Daniel (4). En y allant par élimination, Alain est marié à Benoîte. La déclaration 5 est fausse; donc Daniel a menti; donc c'est un commis (intro). En y allant par élimination, Alain est un bibliothécaire; donc il a dit la vérité (intro). Chloé n'est pas la bibliothécaire en chef (1); donc c'est la bibliothécaire multimédia. En y allant par élimination, Alain est le bibliothécaire en chef. Sa femme, Benoîte, n'est pas le commis à la référence (2); donc Daniel l'est (voir ci-dessus). En y allant par élimination, Benoîte est le commis aux périodiques.

Alain	bibliothécaire en chef
Benoîte	commis aux périodiques
Chloé	bibliothécaire multimédia
Daniel	commis à la référence

Ours d'un soir

Alex a joué Papa Ours (1). Rémi n'a joué ni Maman Ours ni la mère de Boucle d'Or (2); donc il a joué Bébé Ours. Gérard n'a pas joué la mère de Boucle d'Or (3); donc Laurent l'a fait. En y allant par élimination, Gérard a joué Maman Ours. Il est l'oncle de Véronique (3). Ni Alex ni Laurent n'est le grand-père de Véronique (4); donc Rémi l'est. Alex n'est pas le père de Véronique (1); donc c'est son frère. En y allant par élimination, Laurent est son père.

Alex	frère	Papa Ours
Gérard	oncle	Maman Ours
Laurent	père	mère de Boucle d'Or
Rémi	grand-père	Bébé Ours